KC19202

麻辣教師 GTO ②

原名：ＧＴＯ②

行政院新聞局局版北市業字第 855 號

- ■作　　　者　　藤沢　亨
- ■譯　　　者　　李其馨
- ■執 行 編 輯　　王舒俞
- ■發 行 人　　范萬楠
- ■發 行 所　　東立出版社有限公司
　　　　　　　　台北市承德路二段 81 號 10 樓
　　　　　　　　☎ (02) 5587277　　FAX (02) 5587281
- ■劃撥帳號　　1085042-7（東立出版社有限公司）
- ■劃撥專線　　(02) 8100720
- ■印　　　刷　　嘉良印刷實業股份有限公司
- ■裝　　　訂　　台興印刷裝訂股份有限公司
- ■法 律 顧 問　　曾森雄律師　　　　曲麗華律師
- ■1998 年 1 月 25 日第 1 刷發行

日本講談社正式授權台灣中文版

ISBN 957-34-5926-4　　　　　　定價：NT75 元

今後還請多多指教，鬼塚老師！

唔~~~！好爽再叫一次！

鬼塚老師♡

唔~~~你是我叫鬼塚通？呀？

鬼塚老師♡爽爽爽！

唔~~~！

你們還要杵在那裡多久？不趕快搬行李的話，

バタン

我可要走人囉？

喔——丁勢！一想到即將展開新的人生旅途，就陶醉了起來！

對不起！

受不了！得意忘形的傢伙！

其實有點迷醉……心裡蠻基……爐吧？（說親心們你！拘花雀！）

對了！宿舍到底在哪？

大概是那裡吧…可是怎麼沒看到房子…

誰曉得？去問門房吧！他應該會知道。

你叫我睡這⋯⋯？

真的假的？

像這樣？

噗！

⋯⋯⋯⋯

你還真的要叫我睡在這種地方？啊！你把我當流浪狗了？

喂～～～！歐吉桑～～～！

老子我可是老師！竟然把我帶到這種學生躲來抽煙的地方⋯⋯！我、我也不知道啊

理⋯理事長～～～？

她說叫你寄住在這裡⋯⋯

這都是理事長跟我交待的，

……搞屁啊

！算妳夠狠

死老太婆
理事長～～

王八蛋！我要去找理事長抗議，起碼也要把我換到樓下的倉庫，不然實在糗大了！

蒸爐室也比這裡好上幾百倍！

還敢說叫我住到學校來？這根本是頂樓樓梯的夾層！

侵害人權！這種鳥不生蛋狗不拉屎的地方！

可惡！這種鳥地方連A片都不能安心看！

呵呵！

那個老太婆外表看起來和藹可親，沒想到竟然是個大騙子…

啪噠

哈哈哈！心理作用，心理作用。這種狗屁地方有人才怪…

喂喂！我是不是氣昏頭了？三更半夜的屋頂怎麼可能會有人在笑？

趕快把飯吃吃好睡覺

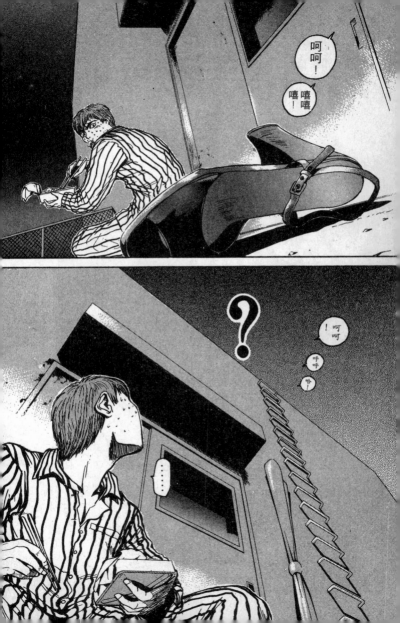

Lesson13
Dancing Floor

啪

搞不好比一個人住在破爛公寓還刺激喔⋯⋯讓我雖開老師的抽屜長啥樣⋯⋯飯島愛的限量電話卡？

Ａ回去！Ａ回去♡

教頭

教職員室也是個可以挖到寶的好地方。

可是這辦公室還真髒！

都不打掃一下？

喔！還有「寵物雞」！

Ａ走！啊！ＦＦⅦ！我保管Ｔ⋯！

哇靠！這個女老師還藏一本ＳＭ書刊！

哇塞！大色胚～！女老師也有這種癖好？

Ａ片？還有⋯嗯？還有嘎啦

哇咧！

※向UFO告殺！叫它們破壞這個學校！

你、你們在幹什麼！存心要我叫警察來是不是！

啪啪噠噠

再不回去，小心我把你們宰了！

布嘰！

布嘰！

空巴啪空巴啪 比哩巴啪哇咧 磁！

火大

咳～～這可怎麼辦才好？那群兔崽子！

搞屁啊！今天晚上不擦不掉，上面搞不好會怪我監督不周…

搞屁啊！

你們有種是不是！就讓你們見識一下地球人的潛力！阿諾死也性格賜給我神奇的力量～～

天靈靈地靈靈南無觀世音、上帝阿門～～～！

啪啪噠噠

那些人腦袋瓜子不曉得在想什麼!真是不像話!

明天就是開學典禮了,我幹嘛要熬夜去清理那些牆上的塗鴉⋯都是那個歐巴桑害的!

嘎噠嘎噠

嘎噠嘎噠

嘎噠嘎噠

卡咚

噠

⋯⋯⋯⋯

噗～～～

哇靠!

⋯⋯

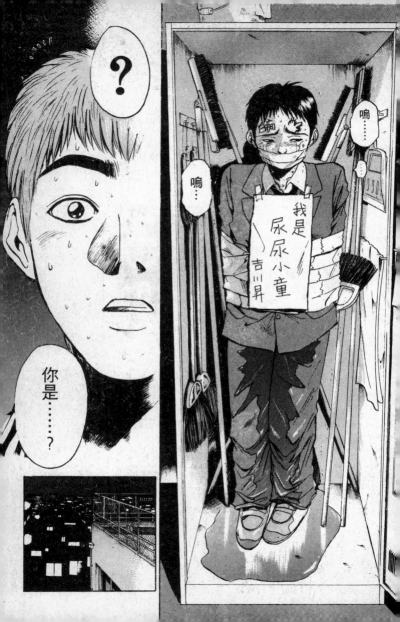

笨、笨蛋！不要輕舉妄動！你幹嘛要死！

少囉嗦！還不都是老師你害的！媒體也會登出來！

罵你是不負責任的老師！

不但血肉橫飛，腸子還會流出來！你沒看過被車輾過去的青蛙？

連腦漿都會噴出來！

腦……

腦漿噴出來…？

混…混帳！你這樣跳下去會下地獄！會痛喔！

啪嚓

聽著！如果不希望自己腦漿四溢，就站在那裡不要動！

很好！就是這樣！想想小時候那段抓青蛙的美好回憶…

嘎

啊！

往前傾…

歐、歐巴桑~~~
~不對…理事長
~~~~！

唉呀！你毫
髮未傷啊？
車子都被撞
爛了…

你跟大仁
田厚樣
壯喔！

妳還在這裡幸
災樂禍！有一
個小鬼差點要
從上面跳下來
自殺哎！

註：大仁田厚以前是日本摔角選手，現在是藝人。

差點連我都一
命嗚呼了…

這是什麼鬼學校啊？
我看八成是被詛咒
了！喂！這裡以前
是不是撞場啊？

這麼說…
你馬上就展現
成果給我看囉
？

啊？

哈哈哈……

哎唷喂呀！
痛死我啦～！
歐巴桑…

嘰

輕一點
好不好…
啊嗚！

哎唷！
我已經包得很輕了耶…

叫妳輕一點…伊

好！包好了！
你的身體還真壯
！

從那麼高的屋頂摔下來竟然只有皮肉之傷。
不愧是前空手道主將。
要是富不成老師還可以去搞摔角，
我戲大二田第二。

喔！

啪

妳還笑得出來～～～

我是真的差點連小命都不保咧！
要不是有那台車，早就唱底了！
像被車輾過的青蛙，腦漿都噴出來！

妳到底在開哪一國玩笑？竟然叫我住到這種校園來！
妳說：遺裡以前是不是場場？肯定被詛咒了！

怎麼？你不喜歡屋頂的閣樓啊？
那地方不錯呀！

那種鬼地方也叫閣樓？

我希望你可以成為本校的英雄。

那地方很棒吧？可以鳥瞰整個學苑！

只要從那裡看下去，不管學校哪裡發生什麼事，都可以馬上趕到。

就像國際小霸王一樣♡

呵

二二

啪咚

等一下，歐巴桑！我才不管什麼國際小霸王或光速超人的，

妳可別叫我學那什麼三流英雄！算我求妳。

以上懷流要馬上和級任老師報告！為以後，可以半瀘事崗詳細稟告老師錄。

可是，你剛剛不就救了一個要自殺的學生嗎？

哎、哎唷！也沒有啦？再說人還是我推下去的…

妳是說宇津井健演的那個角色嗎？

沒錯！這麼年輕！也知道啊！

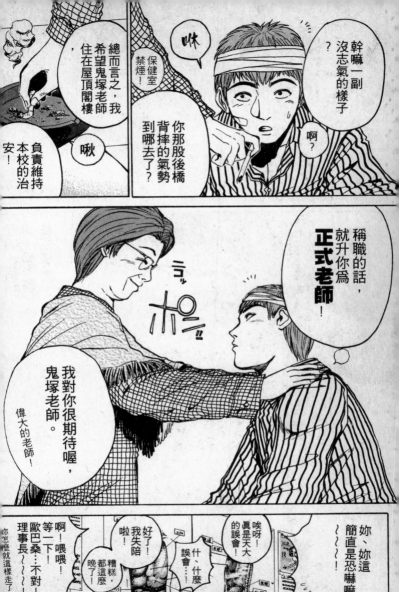

バタン..

拜拜！

你耶！

啊！對了！這
孩子就麻煩你
送回家囉！

你看！他的
眼神在懇求
你耶！

衝啊、衝啊～～！
GO！！GO！！飆
到600！

旋風號！

打倒惡魔女
耶！哇哈哈
哈哈哈～～～

你又不是駕駛面
特攻隊，會呼風喚雨
飆到退魔快？

我以為我
啊？

老師！

喂！老師啦！
喂！你個頭啦

現在的小孩
講話真是沒
大沒小…

我要不是
老師，早把你
揍個半死！

老師，你怎
麼會想到要
來當老師？

啊…？
對喔！

當老師會好玩～～?

好玩啊～！不但可以沒收學生的黃色書刊，還可以免費去教學旅行！而且寒暑假可以放可愛妹妹，又有一海票可不是嗎？

一個老師説這種話不太好吧⋯⋯我就要去當校長

啊？開玩笑的啦！哈哈⋯⋯

嘰

不敢進去

怎麼啦?

嗯?

如拿來唸書！有美國時間做這種事，還不

別跟我一樣。

我就送到這兒了。以後可別再説什麼傻話要自殺！要自殺也請在我看不到的地方。

不行！千萬不可以！

為什麼不行?

那我去跟他們説你被人家欺負，被關在寄物櫃好了。

卡咚

真拿你沒辦法。

實在是⋯⋯

啊?3樓那個窗戶那間⋯⋯好！你在這兒等著

你房間在哪?

喀

因為⋯⋯⋯

太丟臉了！

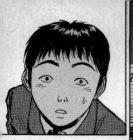

咻!

黏 嘰—

啪噠 貼

嘰—!

嘟—!

給我看清楚了!

喂!聽著!

噓～～！安靜!

哎——你在幹嘛?

啪
咚

噫

砰！

嘎喳

卡喳

噫——

啪咚

你看！這樣就
不會發出聲音
了吧？

快上來！這樣
你爸媽就不會
發現了！
我以前有個兄弟
專門闖空門，他
教我的。

哈哈！
以前常常
出去夜遊跑我

老師，
你這樣好
像小偷喔……

被鎖在門
外用的時候
都用這招
爬進去

這種不良
份子還跑來
當老師？

白痴！這
很普通

17

哇——

這就是你的房間啊？

簡直是發燒

噠噠

哇靠！這麼多電動！

這些全部都是你的嗎？

哇塞！FF VII！連卒業都有！好恐怖喔！

因為我只能打電動，又沒有朋友

啪噠

幹什麼把人家的電動塞到衣服裡？你以前真的幹小偷？

呃？沒有…自然…習慣成

算了！借你玩吧！我已經玩完了！

呃？真的可以嗎？那我還要這個和這個！你會玩嗎？

大肆

玩玩看！會啊！瘋！

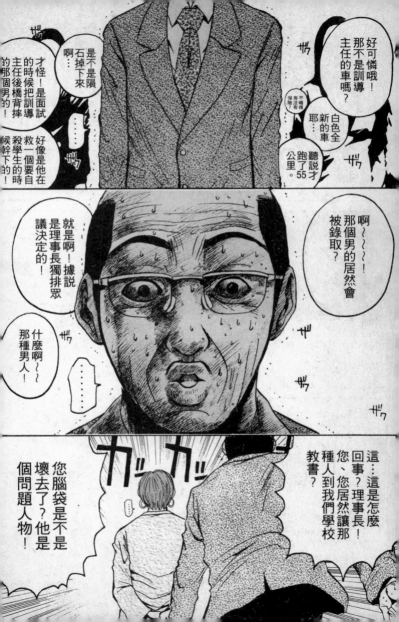

糊塗超人

岩村俊哉

烏龍又迷糊?

① ② ③
全三冊

迷糊又烏龍的糊塗超人是宇宙警察大隊的一員，為了守護地球的和平，遠從恍惚星來到地球。然而他才剛到任就讓地球的八部少年面臨瀕死狀態，同時又不小心放走了凶惡宇宙人拉巴契夫及四天王。糊塗超人於是進入八部體內，開始與惡勢力對抗！

平成 BINGO 日記

3號助理 近藤 太郎

賓果!

我們的藤沢幫在會中舉行的賓果比較中相繼賓果,抱了一個宴會,我們去參加一個宴會,我們去參加相繼賓果,抱了許多大獎回去。

綾峰組長

G—SH OCK!

細川副組長

!MD手提音響

老師,其實我已經算很幸運了。

當天菜很好吃,大家也忙得很盡量。下次如果還有機會,請老師一定要幫我們去。

總比什麼也沒中的人強多了。

OH! BINGO!!

幫主

沒拿到個人電腦的人

3號

只有某些號碼有中的人

全套乒乓球球具

壽司鑰匙圈

災害時可以用的有燈收音機

製作工作人員

綾峰　欄人（Lesson6～14）
RANDO AYAMINE

細川まこと
MAKOTO HOSOKAWA

近藤　太郎
TARO KONDO

EDITOR
SHIN KIBAYASHI
HIROTOSHI KURITA

COMICS EDITOR
NORIKO TAKAHASHI

〈揭載／1997年発行 週刊少年マガジン 第9号から第10号、第12号から第18号まで〉

他好像被分配到，

去當他們的級任老師喔！

2年4班？

他要去教以前2年4班那些傢伙？

哇哈！哇哈哈哈……哈哈哈哈哈……哈哈！

哇哈！哈哈哈哈哈哈！

啊～!可惡!氣得我一肚子火!

實在是!

訓導主任室

咻咻

憑那種人也想來當老師?

而且還這分到的年級!氣死我了!

理事長到底在想什麼人了!

你怎麼啦?內山田訓導主任?瞧你火冒三丈的樣子!

還會有什麼事!池田訓導主任!

呃啊!去它的!連打火機都把我當傻瓜?

好了!冷靜點,內山田訓導主任。

註:此校有三個訓導主任。

小原訓導主任!你根本不曉得那個男的有多惡劣!

其實這也未嘗不好!理事長也有她自己的考量!

呵呵呵…

你還不曉得他要接哪一班嗎?

咦?

有沒有?就是那一班啊!

以前的2年——

4班!

奸笑

CONTENTS

少臭蓋了！

憑你這副德性，怎麼可能是老師！

你說………你是老師………？

老師………

嘎

咦？

老師……

!?

ス

是這兒嗎…

?

喂！你要到哪裡去？

隨便闖進人家家裡…

喀喀喀

3

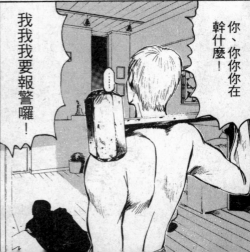

我我要報警囉！

你、你你你在幹什麽！

喂！你聽到了沒有……

你不是說你是老師嗎？

喂～～～

呀！

住手！你到底要幹什麼！

喂！

你⋯你瘋了是不是！你不是老師嗎！

喂！

哇啊！牆壁被敲了一個大洞！

去報警！叫警察來！

喔、好！

磅

╳

怎樣？
水樹……

這就是妳
最討厭的
那一道——

「冰冷的牆」
是吧……

我已經幫妳……

敲爛掉了。

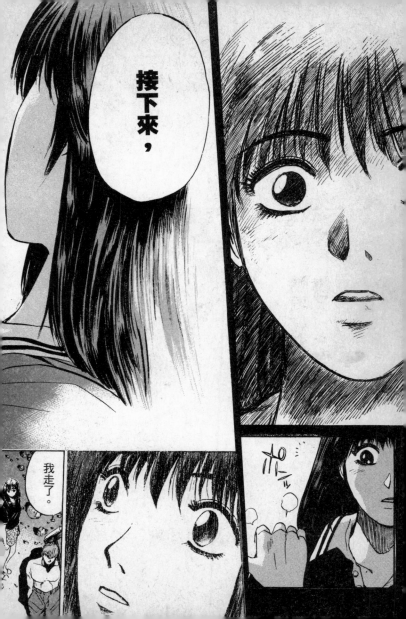

嘿嘿嘿。

哇！真的假的！妳已經決定要當老師啦？

新學期開始後要繼續回來教他們。

我已經跟同學說好了，

老師，前些日子真的很謝謝你。

那天晚上我們家又是報警又是開家庭會議的，折騰了好半天。

為了老師敲壞的那個大洞，我們一邊忙著找人來修補，一邊忙著清掃…

我爸和我媽當時雖然很氣憤，他們本來還說要把你告到法院，我花了好大功夫才勸他們打消念頭呢。

我爸和我媽，

可是他們卻沒有因此而大吵一架，反而因為這樣，增加了我們一家三口相處的時間。

然而，不只是這樣而已，我在旁邊偷偷看到了。

透過牆上那個大洞，兩個人的視線相望了。然後還覺得不好意思，噗嗤地笑了出來。

可是沒關係，因為，

牆壁修補好以後，雖然我爸和我媽，還是又跟以前一樣，彼此不太講話，

下一次我一定要，親自搗毀他們心中的那一道牆。

就算要花上好幾年的時間也無所謂。

一點一點地，一點一點地……

……………

呀荷！真是快樂得不得了。

，教學實習的成績那麼好

這下子應該可以順利分發才對。

アダルトコーナー

未滿18歲禁止進入

接下來只要提出一份像話的畢業論文，

喔，正點。♪

我的老師生涯簡直可以說掛保證了。

畢業論文只要找本人的專屬槍手就搞定了。

哇塞！多輕鬆愜意的大學生活！

嗯？

謝謝光臨！

ウィーン

哈哈哈哈！

放學後的課後輔導！老師生龍活虎夜生活

署長推薦

接下來我只要坐在家裡等那個校長送**聘書**來啦。

如果風聲傳到別的學校，校長一大堆書給我的話可怎麼辦才好？

契約金我要很多。四萬就夠。

老師生活就是夜生活？嘿～我想過過看看夜虎。

咦——？

好好地給它狂歡一下…

不管了，今天就先來預祝我的就業，

你還問我？不是要通過考試才能當老師嗎？

考試？嘖！你們外行人有所不知啦。

告訴你吧，想當老師的人只要參加教學實習，被校長看中意，

你今天不是要**考試**嗎？

咦？考試？老什麼試？

學校就**自動**下聘書來啦。

整個制度就是這樣，懂不懂啊？

我實習學校的校長就畢畢恭敬地請我去他們學校任教，這就是個活生生的例子。

一方面也是因為我個人魅力啦。

哦！原來如此。

那剛剛那條新聞不就報錯了嗎？

新聞？

呃——記者目前的位置是在東京都教師任用考試的會場前。

東京都教師任用考試會場

所有立志成為公立學校老師的人，待會就要在這裡挑戰最後一道關卡。

請問這位同學，有沒有把握？

唔——考不上的話就沒有退路了，再說我也還沒找到工作，只好豁出去了！……

哦——要當老師也是不簡單的呀。

我本來還以為只要通過教學實習，就可以自動成為老師呢。

槍手一
V3

前面的摩托車，趕快停下來！

限速40公里的路你給我飆到150！

喂！你聽到了沒有！

前面的ZⅡ！

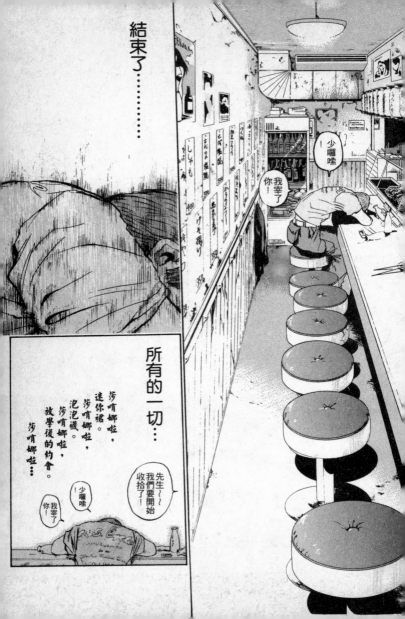

靠！
真是拿你沒辦法，又沒什麼大不了。
只不過沒去考教師任用考試而已，犯不著這麼自暴自棄啊。

你真的那麼想當老師嗎？

嘔！
想吐？
唔～好
髒死了

我早就勸過你，你根本不適合當老師。

錢少事多，這工作很難幹的。

回到家搞不好學生、家長、甚至警察都會打電話來找你，再加上如果當上社團指導老師，我看你連假都別想休了。

學生要是捅漏子，就算不關你的事，你還是要負責任。

要是有人自殺的話，你一輩子就甭想出人頭地了。

．．．．

如果動漂亮女學生的歪腦筋，馬上就會被炒魷魚。

看不順眼的小子隨便揍個兩拳，就會以體罰的罪名被解雇。

我保證你一定熬不下去。

幹那種工作划不來啊。

要不這麼著，乾脆我們合夥開間公司，你看怎樣？

做中古車個人買賣的個人仲介生意。

在美國設個辦事處，利用網際網路代辦個人進口，

東西在當地採購，這生意穩賺不賠。

我們可以雇用一些漂亮妹妹，還可以發明3D賽車台。

取個叫鬼爆特攻隊之類的名字。

只要你我聯手，一定可以闖出一番大事業！成功指日可待！

英吉，就這麼決定吧。

兩人聯手，再像從前一樣。

…………

…………

抱歉，龍二。

…………

私立東京吉祥⋯

學苑啊——。

學生數1643名，教員數88名，

採幼稚園到大學一貫教育，以培養感情豐沛的學生為目標，

自創校以來，考上有名之公私立大學眾多的明星學校

怪怪~~~不得了

明星學校中的明星？

雖然他們是答應讓我面試了沒錯

但照這樣看來，我連半點錄取的機率都沒有。

怪不得我們學校介紹手冊上不敢寫。

不管了，就當做是一種紀念去面試看看吧⋯

搞不好可做為以後的經驗。

唔~~嗯

啊，對不起。

啊！

啊，沒關係，沒關係。書掉了而已。

不…不好意思。

內褲…

還可以趁撿書偷看。

如果是迷你裙的話，

可惜她穿的是長褲。

哇，亂清純的。大概跟我差不多年紀吧？！

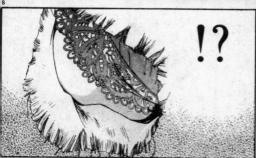

!?

內褲……

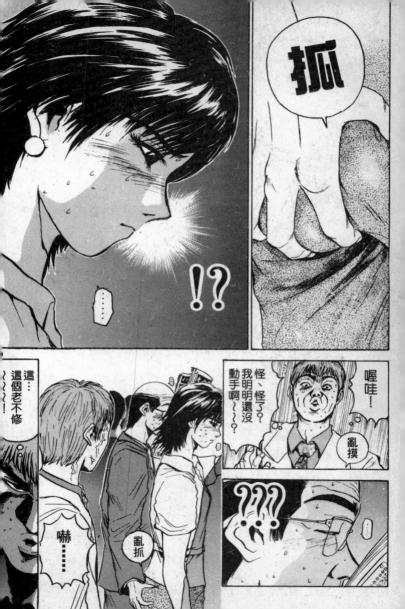

我現在是早稻田文學部4年級的學生。

常常有人說我看起來很小。

早…早稻田～～～？

早稻田不就是那個

好好喔～～妳這種一流大學的，一面試就錄取。

哪像我，優羅志亞大學的…

這個學校向來以不靠關說、不問學歷、不須筆試，

而以一個人來決定採用與否而聞名。

你不覺得很棒嗎？

我覺得你一定沒問題的啦！

畢竟比起成績的優劣與否，

才沒這回事！

不可能啦～～就憑我…大家都說我是人渣

老師最重要的還是個人魅力。

所以我覺得你一定行。

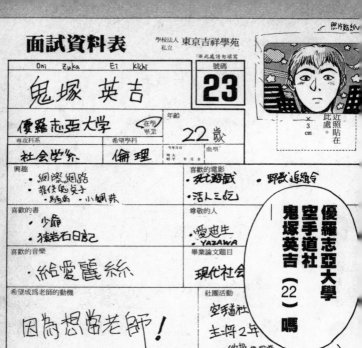

！

‥‥‥‥

？

你會是空手道社主將嘛，為何會想要來當公民科老師？

因‥‥因為想「探求智慧」‥‥

唷——探求智慧啊——？你也會說艱澀的辭彙？

像這樣把偉人所說過的辭彙一字不差掛在嘴邊的人還真不少啊。

簡直是照本宣科的人。

明明沒啥

唔！

你選擇本校的理由是？

為、為貴校的校風吸引！

校風？哪一點？

興趣是？

讀、讀書。少爺和猿岩石日記…還會網際網路點點。

哦—網際網路啊。

這、這個，就是一貫式的教育…

這是第幾個回答興趣是網際網路的學生啊？

第44個了。

你前面那個人連電腦也沒碰過，就跟我們說這種大話。今年怎麼這麼多這種人啊？

可能是坊間哪本面試手冊上有寫吧？

面試看這種書，我保證你下場慘兮兮。

呃—自我評價。

バサッ

常常有人説我的個性木納，但其實我很會交際，也有很多人說我哥兒們很多。

另外我對我的體力有自性（握舉150公斤），大學時是空手道社主將，非常活藥。

我希望這一點能對教學上有幫助。

——完。

如……

如何？

ゴグ…

老實跟你說吧。

你這篇文章簡直比小學生還糟糕！

什…

什麼？

錯別字還這麼多，結尾手寫個「完」？

我請問，你要怎麼將空手道和握舉150公斤，

讓學生喘一喘口氣和當作休閒娛樂。可以用劈瓦來抒解壓力。

這算哪門子的教學？

真是的─

應用在教學上？嗯──？

就是有你這種空有蠻力的人動不動就使用暴力，社會上才這麼多問題。

就像你剛剛在公車上是怎麼對我的一樣。

臉都扭成這樣還能叫出來！

唔⋯⋯

嗯？這個人對你做了什麼嗎？訓導主任。

就是他剛剛在公車上對我使用暴力。用頭撞我的頭。

還說什麼我是色狼。

你們看我這傷口，鼻血一直流個不停。

明明是你自己對女生動手動腳，卻反過來栽贓到我頭上，上卡亂撞。

他對訓導主任施暴？真是不敢相信啊。

可不是？

佯裝成正義使者，含血噴人⋯⋯

還好我心胸寬大，換成普通人的話，早就去告他了。

搞不好是他自己摸的也不一定。

到底是誰去優羅志亞大學登求才廣告的？

應該是總務課的鈴木吧。

真是會給人找麻煩。

雖然本校是以人來決定採用與否，但竟會有這種空有蠻力，缺乏知識品德的人。

看上只須面試這點就跑來私立學校碰運氣，

連教師任用考試都沒通過的人渣，還真是不少。

到我們這麼有歷史的學苑來面試，簡直是一大恥辱！

我看啊，這種人渣就算畢得了業，也還是沒辦法拿到教師執照。

好了，你可以滾了。

這裡不是你這種人渣進得來的地方。

人渣！

JASRAC 出9701941-701

ニコッ

訓導仔～！有種給我出來～！

你、你們要做什麼…

啪

內山田～～～～！

什麼事這麼吵！

什…

唔……

高中部的海老沢！就是前陣子被退學的！

這幾個是來感謝師恩的嗎？

阿！

現在有這種學生真難得呵。

鏘

猛敲亂砸

去出面阻止吧！

咦？叫我去？

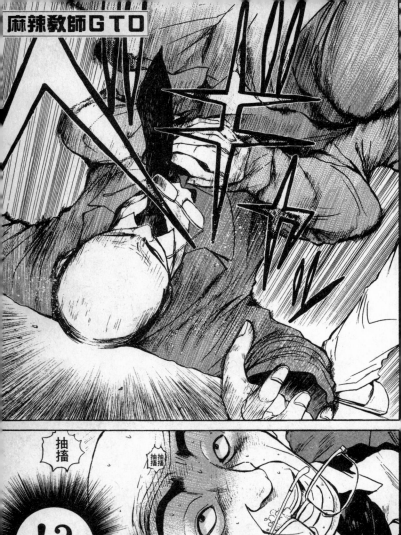

麻辣教師ＧＴＯ

Lesson10　GTO變GDO？

反正我根本就不是這塊料。

憑我也想當老師？這下總算認清自己了。

真的很不好意思…

我們好像給你添了不少麻煩。雖然一頭霧水。

我沒事，你們別放在心上。

你還好嗎？

希望妳連我的份一起加油，努力當上老師，冬月。

抱歉！我捅了個大漏子。

我也會去找適合我的工作。

再見。

鬼塚！

你剛剛那番話讓我好感動！

我相信你一定可以成為一個優秀的老師！

鬼塚！

千萬不要放棄！鬼塚！

距離青森還有80公里。你可得集中精神好好握緊方向盤呀。

遵命——！

不過沒想到原本要去當老師的人，竟然跑來開卡車～～～

這檔事就請你別再提了。

我已經把它忘得一乾二淨了。

仔細想想我要是能當老師的話，天簡直要塌下來了。

我現在要全神貫注在遠距離貨運上。請多指教。

哈哈哈！年輕真好，就是有這股拼勁！

好，到青森我請你洗泰國浴！

不了。因為我還沒跟女人相好過，所以第一次還是想找我家婦女…

得了吧你！想當初我第一次破童子身就是在熊本的泰國浴！

那個時候呀～～～

一開始你要我收你為徒的時候，說實在我還不曉得該怎麼辦呢。

嗯，鱈了我吧，都3天前的事了。

當時我真的嚇了一大跳。拉麵吃到一半突然冒出這句話。頭一次碰到這種情況。

噗咻

說起來你還跟我年輕時很像，那股什麼都不怕的衝勁。

嗯嗯…

嘟嚕嚕嚕嚕

喂，我鬼塚英吉，22歲，職業遠距離卡車司機。

我那時瘋狂崇拜開卡車的文太，剃個小平頭，綁條毛巾在頭上…味道可以氣概念的!

對對對，一個德多的!一個!

啊──?卡車司機?有沒有搞錯啊你!

什麼?龍二啊。

那時候很多送貨的車，指名寄貨給百合惠小叫小百合的。

貫徹

不爽是不是?你現在人在哪?

東北高速公路秋田附近，時速120公里移動中。

快到秋田了。

你大學不去唸啦!大學!

不唸了?

不唸了。

老師呢?

不當了。

啊~~~~?秋田~~~?

啊~~~?秋田?

嘿嘿

啊~~~?

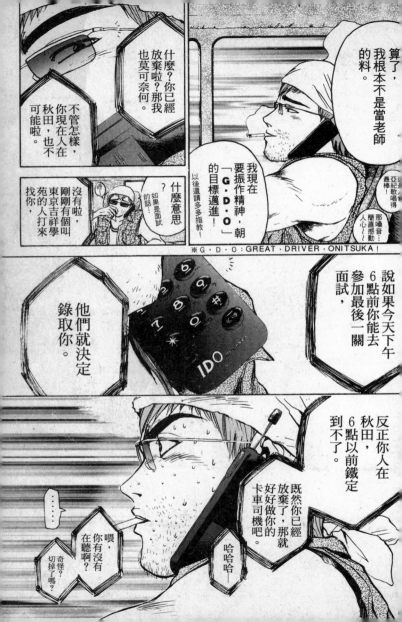

算了，我根本不是當老師的料。

我現在要振作精神，朝「G‧D‧O」的目標邁進！

以後還請多多指教！

送貨……亞紀歌唱得最棒！

那嗓音……簡直感動人心。

什麼？你已經放棄啦？那我也莫可奈何。

不管怎樣，你現在人在秋田，也不可能啦。

什麼意思？

沒有啦，剛剛有個叫東京吉祥學苑的人打來找你，

？如果是面試的話……

※G‧D‧O：GREAT‧DRIVER‧ONITSUKA！

說如果今天下午6點前你能去參加最後一關面試，

他們就決定錄取你。

反正你人在秋田，6點以前鐵定到不了。

既然你已經放棄了，那就好好做你的卡車司機吧。

哈哈哈——

……

喂，你有沒有在聽啊？

奇怪？切掉了嗎？

我可以當老師了!

我可以…

只要在3小時內趕回去!

拼了!

出大泉交流道了——！

走一般道？
到底要開到哪裡去？

不、不清楚

スピー

哇——！
攔下來！
射殺也無所謂！把它攔截下來！

嘎嘎嘎

車轟車轟車轟車轟車轟車轟

！

采々軒

叭叭叭！

ド
キ
ッ

呼！ 呼！ 呼！ 呼！ 呼！ 呼！ 呼！ 呼！

喂～～！請問還有沒有人在？我叫鬼塚

我是來面試的，都沒有人在了嗎？

喂喂！到底還有沒有人在！

有的話就回答我啊！喂！

唉——

果然還是沒趕上

虧我已經準備吃牢飯，卯起來狂飆的說⋯

我等你好久了，

鬼塚。

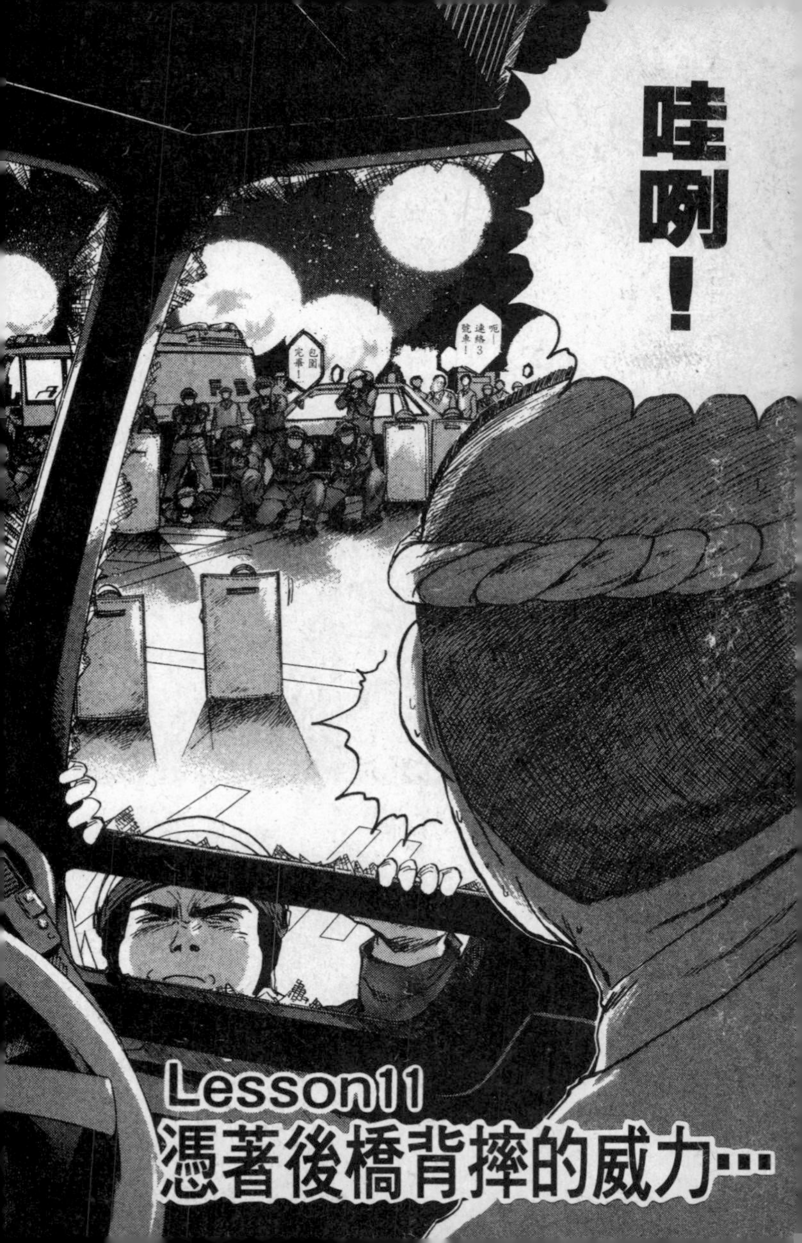
哇咧！
呃─連絡3號車！
包圍完畢！
Lesson11
憑著後橋背摔的威力…

歐巴桑…？

福利社的歐巴桑怎麼會在這裡…？

放開我，不是我幹的啊！

啊的！桑只有一個！

一說有新的目擊者

不我你那你

黑白講

我等你好久了，鬼塚。

跟我來吧！我們要開始面試了。

我早就料到你一定會趕來♡

不管身在何方♡

啊？歐巴桑妳要

不要開了！要找妳等回要揍兵試！

我是的！寧的！

喂！

啊！我懂了！這一定是一場騙局？

假藉面試老師的名義把我騙來，其實是面試福利社的店員對不對？拜託！歐巴桑妳這個人怎麼這麼惡毒？

瞧妳看起來一臉和藹可親

還是驚人大傳笑？

卡！卡！

唉…也罷！反正那什麼卡車司機的，也只能做到今天為止了。

照這樣看來，今年我當定

OK！你錄取了！

ニコッ

這些資料表拿去！一個禮拜以內寫好拿過來。

ガサッゴソ

這些都是正式文件，希望你可別填錯⋯啊！還有本校簡介和教學方針手冊⋯這些都要在到職當天前看完。

カサッ
ドサッ

啊？

另外，年初有個專為新任教師舉辦的講習會，到時候──

ガサッゴソ

請等一下～～

這樣妥當嗎？這麼輕易的就決定錄用我⋯

你覺得不可思議是嗎？

什麼事？

⋯⋯⋯

不是！因為我從來沒有像這樣一試就⋯

你之所以如此令我期待，

乃是因為你上回所展現出來的德國式後橋背摔威力！

後⋯後橋背摔？

沒錯，就是這招♡

就是這座橋！讓我想起卡爾·戈奇！我可以坐嗎？請。

ㄙㄟ..

我總覺得，能將本校的潛在問題，

捨棄無謂的大道理，以武力來徹底根絕的只有你而已！

身為理事長的我，在此誠摯地請求。

你是否願意來我們吉祥學苑執教鞭？

鬼塚⋯⋯喔不！

鬼塚老師誕生！

恭喜你啦——！

耶

砰！

咦？龍二和冬月？

奇怪？你們怎麼會知道。剛剛才決定的。

我是聽你這位朋友說的！哇靠！簡直嚇了我一大跳！

她說是在你最後一關面試的時候偷聽到的。

冬月跟他說的。

恭喜你了，鬼塚！如此一來，春天時我們就是同事了。請多指教♡

她一直在你住的地方等你回來，擔心得要命咧！看來你是恬恬呷三碗公喔？

神經病！才不是這樣咧！

瞧你緊張成這樣！喔喔，談戀愛！哈哇哈。

哈，你亂講。我只是……

噗噗噗！不要笑死人了！就憑你這頭腦簡單四肢發達的傢伙？

少囉嗦！我可是憑實力的！

壓根也沒想到你可以進那間吉祥學苑當老師！

那裡可是明星學校中的明星學校。

今天清晨在東北高速公路緊急迴轉超速行駛的卡車司機大杉拳車（2）

也只是個臨時老師而已。

唉！我雖然是被錄取了沒錯

但這位司機曾犯下多起傷害及超速駕駛等前科

臨時老師？什麼意思？

唉，就是臨時的老師啦！

閉嘴！你這個大嘴巴！

據他表示，我幹的不是那個！一新！來的！

真的嗎？

哦？

啊，妳知道嗎？這小子以前是個超級愛惹事生非！小混混喔！

警方認為他還有其它罪嫌

接下來是咪咪夫人時間。

而且還是有條件的。

可不是嗎？還是個莫名其妙的條件。

條件？

咕嚕

理事長，您是認真的嗎？

竟然聘請那種人來我們學校當老師——簡直是自殺行為。

你不覺得會很有意思嗎？

?

理事長，您真是一個可怕的人。

您是不是打算把那一班交給他……

呵呵……

請你說話注意一點……板垣！

!?

嘎沙

我現在心裡可是滿心期待，

想要看看那個叫鬼塚英吉的會怎麼做……

Lesson12 鬼塚老師誕生！

別…別擔心！你看！像這樣描一下的話…

卡卡嘰嘰

對、對喔！反正這本來就是真的！

對呀對呀！

應該不會看起來像偽造的吧？

不！不會啦！

不…嗯？

然後這裡再白一點…

描描…喔！拉天塗像…

不好意思！還麻煩妳來幫我搬家——

哪裡！沒關係！反正我閒著也是閒著。

喰喰喰喰喰

啊啊啊啊啊

轟轟

我是花的小孩，名叫轟轟。

MOTO SHOP ガレージR

ISUZU

而且想到鬼塚你還可以住進學校宿舍，

我反倒有點羨慕起你來呢！每天都可以待在學校附近。

畢竟當老師是我一直以來的夢想！

哇！妳這種人很稀奇！哪像我，學生時代，世界上最討厭的生物就是老師了！

啊～你這樣還會來當老師，才稀奇哩！

哈～比妳還討厭哩！說的…

協力/石森プロ・東映